GRANDI OPERISTI
PER GIOVANI CANTANTI

Raccolta graduale di arie d'opera di

CIMAROSA GALUPPI PAISIELLO
PUCCINI ROTA

PER SOPRANO

Per i primi anni di studio

Raccolta II

Revisione di
Gabriella Ravazzi

With English Text - Mit deutschem Text

RICORDI

Copiatura musicale a cura del Laboratorio Grafico Musicale Moraschini - Bergamo

Casa Ricordi, Milano

2001 Printed in Italy
138667
ISMN M-041-38667-6

INDICE - CONTENTS - INHALT

PREFAZIONE

Questa nuova raccolta d'arie d'opera per giovani cantanti segue, non solo cronologicamente, la prima. Nasce, infatti, sotto la spinta della medesima idea direttiva: la necessità di affiancare allo studio precipuamente tecnico una buona (seppur, ovviamente, parziale) conoscenza di brani dei grandi operisti; nel percorrere questo vero e proprio viaggio musicale, lo studente avrà modo di affinare il gusto e la sensibilità artistici e di mettere alla prova la propria espressività con l'affrontare brani di repertori differenti e differenziati, qui proposti secondo un ordine progressivo di difficoltà tecnica e musicale.
Anche questa volta ho ritenuto utile inserire legature, dinamiche e prese di fiato, onde suggerire un chiaro e possibile percorso espressivo del brano da interpretare.
Esempi: Cimarosa, Aria di Livia da *L'italiana in Londra*

PREFACE

This new collection of operatic arias for young singers follows the first one, and not only in the chronological sense: it was born from the same guiding idea, namely the need to back up study that is mainly technical with a good (though obviously partial) knowledge of pieces by the great opera composers. In undertaking this veritable musical journey, students will have the chance to refine their musical taste and sensibility and to put their expressivity to the test by tackling pieces from different and differentiated repertoires, arranged here in order of increasing technical and musical difficulty.
As in the previous collection I have considered it useful to insert slurs, dynamics and breathing points in order to suggest a clear and possible expressive route through the piece to be interpreted.
Examples: Livia's Aria from Cimarosa's *L'italiana in Londra*

VORWORT

Diese neue Sammlung Opernarien für junge Sänger folgt nicht nur in chronologischer Hinsicht der ersten. Sie entspringt nämlich dem gleichen Grundgedanken: die Notwendigkeit, das hauptsächlich technische Studium durch eine gute (wenn auch offensichtlich nur teilweise) Kenntnis der Werke großer Opernschreiber zu integrieren; auf dieser regelrecht musikalischen Reise hat der Student die Möglichkeit, seinen Geschmack und seine künstlerische Feinfühligkeit heraus zu bilden sowie seine Expressivität auf die Probe zu stellen, indem er Stücke verschiedener und differenzierter Repertoires ausführt, die hier nach technischer und musikalischer Schwierigkeit geordnet sind.
Auch dieses Mal hielt ich es für nützlich, Ligaturen, Dynamiken und Atempausen einzufügen, um einen klaren und expressiven Weg durch das zu interpretierende Stück anzudeuten.
Beispiele: Livias Arie aus Cimarosas *L'italiana in Londra*

versione rivista: *performing version:* *Ausführung:*

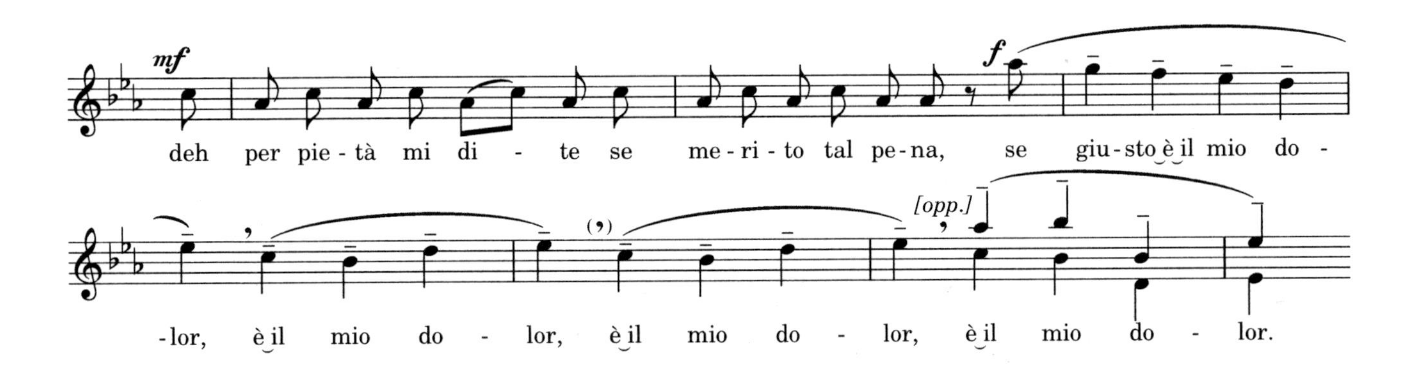

Ho ritenuto indispensabile, inoltre, proporre, a chiusura del volume, un'aria del repertorio contemporaneo, come meta "aperta" e non mai definitiva di questo breve (ma affascinante) percorso (e lo spirito del viaggiatore è quello di chi dimentica l'ansia dell'arrivo ma, lievemente, si lascia trasportare dalla curiosità e ha l'animo predisposto al nuovo e al meraviglioso) attraverso gli stili, le difficoltà e le scoperte di questo "bosco" ricco di colori, voci, suoni.

Gabriella Ravazzi

I have considered indispensable to include – at the end of the volume – an aria from the contemporary repertoire, as an "open" and never definitive destination of this short (but fascinating) journey (and the traveller's spirit belongs to those who forget their anxiety to arrive and let themselves be carried away by their curiosity, and have minds that are open to the new and the wonderful) through the styles, the difficulties and the discoveries of this "wood" rich in colours, voices and sounds.

Ich hielt es zudem für unerläßlich, zum Abschluß eine Arie des zeitgenössischen Repertoires hinzu zu fügen, als "offenes" und nie definitives Ziel dieses kurzen (doch faszinierenden) Weges (und die Mentalität des Reisenden ist die, die Ankunft nicht zwingend zu erstreben, sondern sich leicht von der Neugierde vorwärts treiben zu lassen und seinen Geist dem Neuen und Wunderbaren zu öffnen) durch die Stilarten, die Schwierigkeiten und die Entdeckungen dieses "Waldes" voller Farben, Stimmen und Klänge.

Domenico Cimarosa *(1749-1801)*
"Dunque per un infido"
"S'arresta il sangue nelle vene"
da *L'italiana in Londra*

◆ qui e nei successivi casi analoghi indicati dallo stesso simbolo / here and in the next similar passages, marked with the same symbol / hier und in den folgenden ähnlichen Passagen, die mit demselben Symbol bezeichnet sind.

Per pietà
a - ti...
io per le vie di Lon-dra, in mez-zo a-gli ur-li di vil po - po-lo ar-di-to, me n'an-
-drò co - me re - a mo - stra - ta a di - to?

Larghetto ♩ = 60
mf
Mi - se - ra me!... che cru - del -
Larghetto ♩ = 60
p
p
cresc.
- tà, che or - ro - re!...
Ma da vir - tù, da o -
p
p
cresc.
- no - re sen - to in - fiam - mar - mi...
Allegro ♩ = 92
Allegro ♩ = 92
f
I lac - ci do - ve so - no?...
f

Larghetto ♩ = ♪ (92)
a tempo
Il giu-di-ce do-v'è?
Tetra ed oscu - ra car - cere a te m'in-
Larghetto ♩ = ♪ (92)
cresc.
-vi-o
Recitativo
e tu ve-glia, in-no - cen-za, e tu
♪ = ♩ (92)
(in atto di partire vede Milord)
ve - glia, in-no - cen-za, al fian-co mi-o. Ohi - mè!... tu an-cor sei qui?...
Non presto
Tu mi spa-ven-ti
Non presto

Andante ♩ = 56
più del-le mie ca - te - ne;
Andante ♩ = 56
f p
f
p
in que-st'i-stan - te a pal-pi-tar ri-tor-no
f p
f p
p
e m'av-vi - li-sce, in - gra-to, in -
pp
mp
mf
f
- gra-to il ri - mor - so cru - del d'a-ver-ti a - ma-to.
f
segue subito

* -no il — qui e nei successivi casi analoghi indicati dallo stesso simbolo / here and in the next similar passages, marked with the same symbol / hier und in den folgenden ähnlichen Passagen, die mit demselben Symbol bezeichnet sind.

** -g'i - o qui e nei successivi casi analoghi indicati dallo stesso simbolo / here and in the next similar passages, marked with the same symbol / hier und in den folgenden ähnlichen Passagen, die mit demselben Symbol bezeichnet sind.

tr
(,)
-cen - - - - - te
è il
cor.
poco f
ff
p
p
(a Madama)
f (a Milord)
mf
Fug - gi!...
Fe - del
com - pa - gna, ad -
f
p
(a Sumers)
f (a Milord)
mf
-di - o.
Van - ne!...
A -
p
f
**
**
-mi - co,
io par - to,
ad - di - o,
ma rea
non
par - to, oh
p
poco f
p

**
Di - o, ed in - no - cen - te è il cor, ma rea non par - to, oh
poco f
p
Di - o, ed in - no - cen - te è il
poco f
ff
Allegro maestoso ♩ = 112
cor.
Allegro maestoso ♩ = 112
sf
f
f
Don - ne, don - - -
p
sf
- ne che qui m'u - di - te, ah per pie - tà mi
p
sf
p

-di - te
se me - ri - to tal
p
p
pe - na, se è giu - sto il mio do - lor,
se è
giu - sto il mio do -
cresc.
f
p
f (a Milord)
- lor. Fug - gi,...
fug - gi!... Tu sei il mio ter - ror!
(a Madama)
mf
Com -
f
p
- pa - gna,... ad - di - o...
(a Sumers)
A - mi - co,... ad -

-di - o.
Don - ne, don - - -
cresc.
f
p
sf
- ne che qui m'u - di - te, deh per pie - tà mi
p
sf
p
di - te
se me - ri - to tal
p
cresc.
pe - na, se è giu - sto il mio do - lor, se giu - sto è il mio do -
f

mf
-lor, deh per pie - tà mi di - te se giu-sto è il mio do - lor, se
p
cresc.
f
giu-sto è il mio do - lor; deh per pie - tà mi di - te se
mf
me-ri - to tal pe-na, se giu-sto è il mio do - lor, è il mio do -
-lor, è il mio do - lor, è il mio do - lor.
[opp.]

Giovanni Paisiello *(1740-1816)*
"Giusto ciel, che conoscete"
da *Il barbiere di Siviglia*

*** si - - qui e nei successivi casi analoghi indicati dallo stesso simbolo / here and in the next similar passages, marked with the same symbol / hier und in den folgenden ähnlichen Passagen, die mit demselben Symbol bezeichnet sind.

-l'al - - ma mi - a quel - la pa - - - - - ce
che non ha. Giu - sto ciel,
che co - no - sce - te quan - to il cor o - ne - sto
si - a, deh voi da - te al - l'al - ma mi - a... quel - la pa - ce che non
fp
p
pp
tr

poco rit.
a tempo
ha. Giu - sto ciel, giu - sto ciel, deh voi da - te al - l'al - ma
poco rit.
pp a tempo
mia quel - la pa - - - - - - - -
ce che non
poco rit.
a tempo
ha, quel - la pa - ce, quel - la pa - ce, quel - la
poco rit.
a tempo

***
pa - ce che non ha, quel - la pa - ce che non
ha, quel - la pa - ce che non ha.

Baldassarre Galuppi *(1706-1785)*
"Di questa poverella"
da *Il filosofo di campagna*

mf
so - no u - n'or-fa - nel - la, che ma - dre più non ha. Cru -
mf
- de - le è il pa-dre mi-o; av - ver - so al mio de - si - o, che sia l'a-mor non
dim.
p
mf
dim.
p
sa… L'af - flit - ta pa-dron - ci - na vor - reb - be, po-ve -
mf
p
-ri - na… com - pren - di… tu m'in - ten - di… ah muo - vi - ti a pie -
mf
pp

-tà. Tu m'in - ten - di... ah, muo - vi - ti‿a pie - tà. Tu m'in -
-ten - di, ah, muo - vi - ti‿a pie - tà, ah, muo - vi - ti‿a pie - tà, ah, muo - vi - ti‿a pie -
-tà. Cru - de - le è‿il pa - dre
mi - o; av - ver - so al mio de - si - o. Di que - sta po - ve -

▲ eseguire l'abbellimento in levare / grace notes must be sung on the upbeat / Verzierungen auftaktig zu singen

mf
p
-pren - di... tu m'in - ten - di... ah, muo - vi - ti a pie - tà. Tu m'in - ten - di, ah,
pp
mf
p
mf
muo - vi - ti a pie - tà. Tu m'in - ten - di... ah, muo - vi - ti a pie -
cresc.
p
cresc.
cresc.
f
-tà, ah, muo - vi - ti a pie - tà, ah, muo - vi - ti a pie - tà.
mf
cresc.
f
f
p
dim.
p
pp

Giacomo Puccini *(1858-1924)*

"Se come voi piccina io fossi"

da *Le Villi*

Mosso
Tempo I
-ci - na io fos - si, o va - ghi fior, sem - pre sem - pre
Mosso
Tempo I
vi - ci - na po - tre - i sta - re al mio a - mor. Al -
Andante espressivo ♩. = 52
-lor dir - gli vor - re - i: "Io pen - so sem - pre a te!" Ri -
Andante espressivo ♩. = 52
pp
pp
-pe - ter - gli po - tre - - - i: «Non ti scor - dar di
ppp
cresc.

accelerando
me! io pen - so sem-pre sem-pre a
accel.
rit.
ritenuto
te! Non ti scor - dar di me non ti scor -
ppp
ritard.
ten.
-dar di me, non ti scor - dar, non ti scor - dar di me!
rall.
ppp
Lento
un poco accel.
rit. molto
Lo stesso movimento
No! no! no! no! non ti scor-dar di me!»
col canto
pp
morendo
p

Allegro sostenuto, Tempo I ♩ = 84
ppp
Ped.
dim.
ppp
Andante lento come prima ♩. = 46
Voi, di me... più fe - li - - ci, lo se - gui-
Andante lento come prima ♩. = 46
ppp
Ped.
Mosso
Tempo I
-re - - - te, o fior; per val - li e per pen -
Mosso
Tempo I
mf
ppp
animato
m. s.
Ped.
Ped.

ritard.
-di - ci se - gui - re - te il mio a - mor. Ah,
ritard.
Andante espressivo
come prima ♩. = 52
se il no-me che a - ve - te men - zo - gne-ro non è,
Andante espressivo come prima ♩. = 52
ppp
deh! al mio a-mor ri - pe - te - te: «Non ti scor-dar di
pp cresc.
cresc.
me! Ah non ti scor-
ff
stentato
spiegando il canto
dimin.
ff

dimin.
-dar, non ti scor - dar, non ti scor -
ppp
dimin.
pp
-dar di me non ti scor - dar di me, non ti scor -
f
ritard.
ten.
risoluto
ritard.
Lento
un poco accel.
-dar, non ti scor - dar di me! No! no! no!
rallent.
ppp
col canto
ritard. molto
me, di me!»
no!... non ti scor-dar di me!»
dim. e rall.

Giacomo Puccini *(1858-1924)*

"O fior del giorno"

da *Edgar*

Andante mosso 𝅗𝅥. = 60

mf

Fidelia

p

O fior del gior - no, sal - ve al - ba se - re - - - - - na! Spe - ran - za ed e - sul - tan - za! In - no gen - til, del gior - no fior. Di ce - le - stial pro - fu - - - mo

m.d.

pp

è l'au - ra pie - - - - - - - - - - - - na.
O fior del-l'an - no, sal - ve al - ba d'a -
-pril, al - ba d'a - pril!
O fior del-l'an - no, sal - ve al - ba d'a -
-pril, o fior, o fior.
O fior
8va

del - - - l'an - - - - no, al - - - - ba d'a - - - -
8va
-pril!
p legato
p
Lo stesso movimento
Ed - gar.
Buon dì!
Lo stesso movimento
pp
p
sostenuto un poco
Dun - que non ha ri - po-so per te la not - te, se qui il
p
col canto
pp

sol t'ha col-to an-cor vin-to dal son - - - no.
pp sostenuto
accel. un poco
p
a tempo
Lie - ta non so - no se ti veg-go co - sì.
p
p
pp
pp
Sen - ti lo stra - no pen - sier ch'io fe - ci quan - do mi sve - gliai. Già il
rit.
dolciss.
p

Andante un poco mosso ♩. = 58

man - dor-lo vi - ci - no dei pri - mi fior si or - nò; se
Andante un poco mosso ♩. = 58
pp
Ped.
so - vra il mio cam - mi - no Ed - gar in - con - tre - rò, tron-
Ped.
-car ne vo - glio un ra - mo e a lui lo vo' get - tar, a
Ped.
lui lo vo' get - tar, a lui lo vo' get -

allarg.
affrett.
rall.
a tempo
-tar, il mat-ti-nal sa - lu-to co - sì gli vo-glio dar! Tron -
allarg. col canto
Allegretto ♪ = 116
rall.
-car ne vo-glio un ra-mo e a lu-i lo vo' get - tar, il mat - ti - nal sa-
sensibile questa battuta poi
sensibile questa battuta
rall. molto
ritard.
a tempo
lu - to co - sì gli vo-glio dar, il mat - ti - nal sa - lu - to co - sì gli
poi
rall. molto quasi stentando
vo-glio dar, co-sì gli vo - glio dar!

Nino Rota *(1911-1979)*

"Papà, non mi lasciar"

da *Il cappello di paglia di Firenze*

cuor, mi man-ca il piè, ho un bat - ti - cuo - re che non so co - s'è.
pp
Ho un bat - ti - cuor, non so co - s'è. Ho un bat - ti - cuor,
animando e cresc. a poco a poco
8va
ho un bat-ti-cuor, mi tre-ma il cuor, mi tre-ma il cuor, vo' tor-na-re a ca-sa
8va
8va
tratt.
a tempo
f
tratt.
a tempo
p
mi - a, vo' tor - nar dal mio pa-pà, vo' tor - nar dal mio pa -
- pà, vo' tor - nar dal mio pa - pà. a

Pa-pà non mi la - sciar, pa-pà non mi la - sciar. Vo' tor-na-re a ca-sa
a tempo
mi-a, vo' tor-nar dal mio pa-pà. Vo' tor-nar dal mio pa -
-pà, vo' tor-nar dal mio pa - pà. a a
pp
a a.
pp col canto
pp
Mosso ♩ = 84
f
dim.
mf

GRANDI OPERISTI PER GIOVANI CANTANTI

Raccolta graduale di arie d'opera

a cura di Gabriella Ravazzi

PER I PRIMI ANNI DI STUDIO

PER SOPRANO - I Raccolta
Donizetti Galuppi Mascagni Mozart Paisiello Rossini
137600

PER SOPRANO - II Raccolta
Cimarosa Galuppi Paisiello Puccini Rota
138667

PER TENORE - I Raccolta
Mozart Paisiello Pergolesi Ponchielli Rossini Sarti
137652

PER TENORE - II Raccolta
Mozart Cimarosa Galuppi Mascagni Donizetti Menotti
138612

PER MEZZOSOPRANO
Bellini Donizetti Galuppi Paisiello Petrella
137997

PER BARITONO
Bellini Cimadoro Cimarosa Donizetti Paisiello Salieri Vaccai
138113

PER BASSO
Cimarosa Galuppi Mozart Paisiello Ponchielli
138554

Stampato in Italia - Printed in Italy - Imprimé en Italie 2001

INGRAF s.r.l. - Via Monte S. Genesio 7 - Milano